ISBN 978-2-874-42691-9
PREMIÈRE ÉDITION : NOVEMBRE 2009
IMPRIMÉ EN FRANCE PAR PPO. DÉPÔT LÉGAL : NOVEMBRE 2009. D2009/0053/454

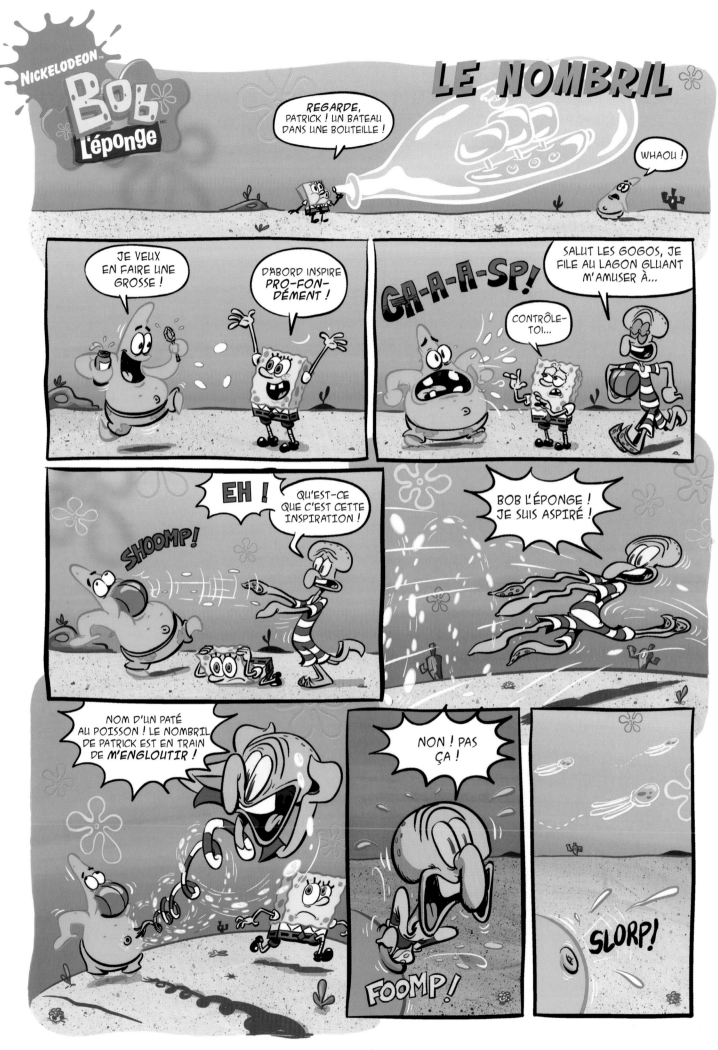

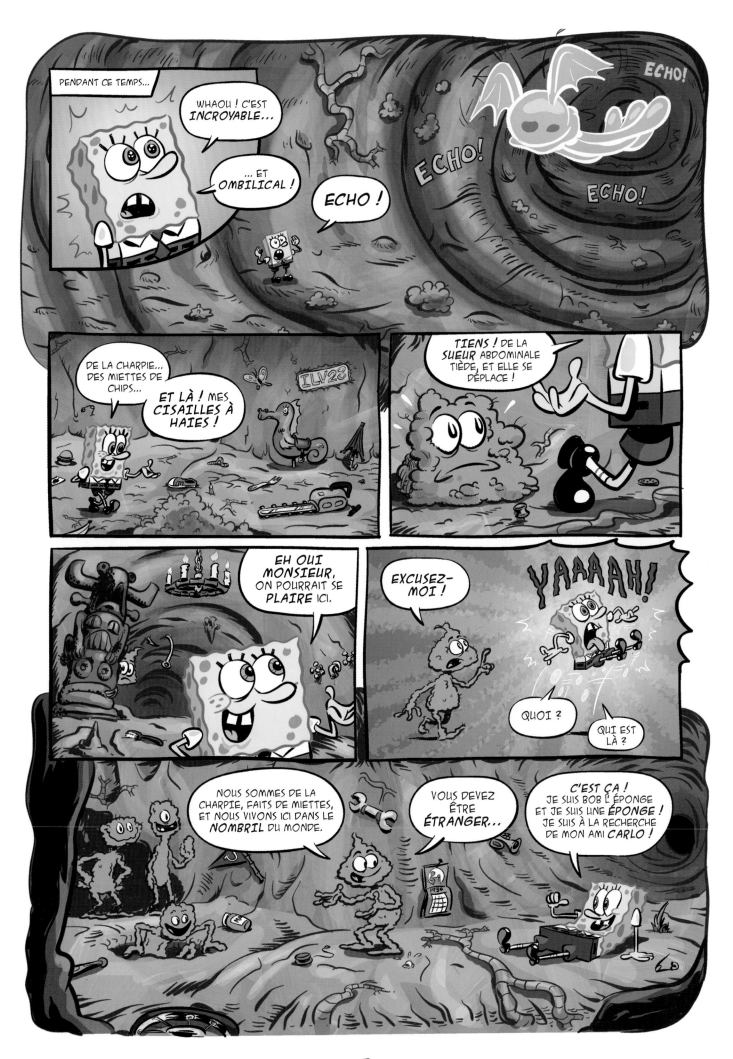

4

ET ME VOILÀ CONDAMNÉ...

À PASSER MES *DERNIERS JOURS* DANS LE NOMBRIL D'UNE *ÉTOILE DE MER ROSE ET JOUFFLUE* !

J'AI TOUJOURS *SU* QUE ÇA FINIRAIT AINSI.

ET PAUVRE *CARLO*... SEUL FACE À LA *MORT*, SANS AMI NI *PÂTÉ*...

IL AIMERAIT QUE *JE* SOIS *PRÈS DE LUI* !

BOB L'ÉPONGE...

FAP!

... COMME C'EST GENTIL DE ME *RENDRE VISITE* DANS MON *NOUVEAU CHEZ MOI* !

JE TE PRÉSENTE MON AMI *SPOOTY HOOPER FISH*. ÇA FAIT *20 ANS* QU'IL EST PENDU ICI !!!

JE *PRIAIS* POUR AVOIR DE LA *COMPAGNIE*...

... JUSQU'À L'ARRIVÉE DE *CARLO*.

20 ANS ?! COMMENT T'ES-TU RETROUVÉ ICI SPOOTY ?

EH BIEN UN JOUR JE ME BALADAIS DANS LA RUE ET... CE GARS ROSE ÉTAIT EN TRAIN D'ASPIRER CE BATTEUR PAR SON NOMBRIL...

ET ?

ET... IL ÉTAIT *FIXÉ À MA JAMBE.*

MAIS COMMENT PEUT-ON AVOIR UN BATTEUR À ŒUFS ACCROCHÉ À SA JAMBE ?!

EH BIEN CARLO, SI TU VEUX VRAIMENT *SAVOIR*...

... VOUS NE *COMPREN-DRIEZ* PAS.

TUEZ-MOI.

TUEZ-MOI *MAINTE-NANT.*

EH, J'AI UNE IDÉE ! ON A QU'À S'ÉCHAPPER !

... AU CAS OÙ TU N'AURAIS PAS REMARQUÉ, JE SUIS LÉGÈREMENT *ATTACHÉ* AU *MUR* LÀ.

NE T'INQUIÈTE PAS CARLO...

... CE N'EST QUE DE LA CHARPIE !

FLUFF!

TU VIENS *AVEC NOUS* SPOOTY ?

ET RECONNAÎTRE QUE J'AI *VÉCU UN MENSONGE* PENDANT 20 ANS ? *NON MERCI !!*

AMUSEZ-VOUS BIEN !

FWAP!

FWAP!

QUEL *CHIC TYPE !*

TU PARLES... JE NE VOUDRAI MÊME PAS HABITER PRÈS DE CHEZ *PATRICK.*

FLOOF!

SLURF!

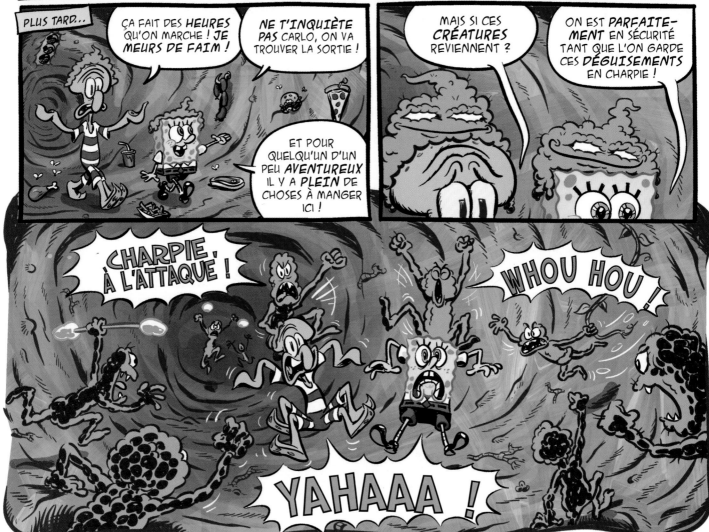

PLUS TARD...

ÇA FAIT DES *HEURES* QU'ON MARCHE ! *JE MEURS DE FAIM !*

NE T'INQUIÈTE PAS CARLO, ON VA TROUVER LA SORTIE !

ET POUR QUELQU'UN D'UN PEU *AVENTUREUX* IL Y A *PLEIN* DE CHOSES À MANGER ICI !

MAIS SI CES *CRÉATURES* REVIENNENT ?

ON EST *PARFAITE-MENT* EN SÉCURITÉ TANT QUE L'ON GARDE CES *DÉGUISEMENTS* EN CHARPIE !

CHARPIE, À L'ATTAQUE !

WHOU HOU !

YAHAAA !

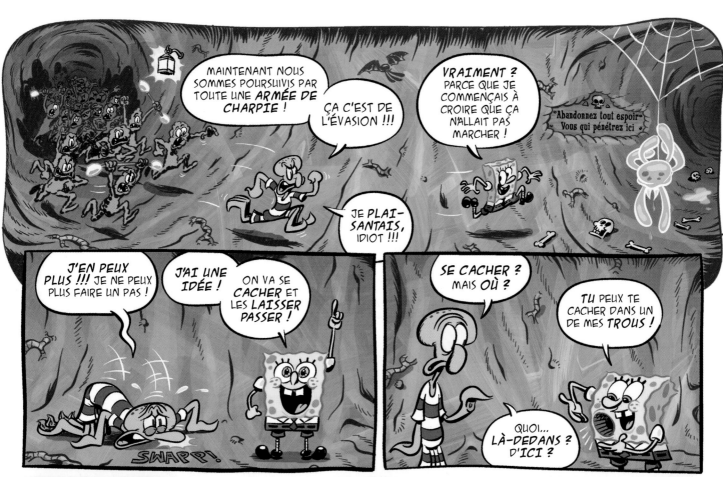

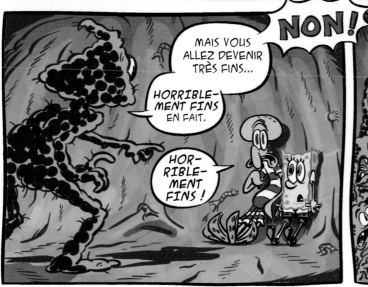

DING DONG

QUI CELA PEUT-IL BIEN ÊTRE ?

BONJOUR, CHÈRE ÉPONGE !

HEU... BONJOUR ...

MORTON J. SEASQUIRT À VOTRE SERVICE ! JE SUIS LÀ AUJOURD'HUI POUR VOUS OFFRIR LA *VÉRITABLE* CHANCE DE VOTRE VIE !!! OUI, VOUS AVEZ *DEVINÉ*, IL S'AGIT...

... D'HARICOTS MAGIQUES !

C'EST ÇA !! VOUS LES PLANTEZ ET HOP ILS POUSSENT JUSQU'AU CIEL !

ET, HEU... ILS PEUVENT AUSSI FAIRE PLEINS D'*AUTRES*... HEU... *TRUCS MAGIQUES*...

DEUX MINUTES PLUS TARD...

WHAOU ! CE FUT UNE VENTE DIFFICILE ! PENDANT UN INSTANT J'AI CRU QU'ILS M'AVAIENT *DÉMASQUÉ* !

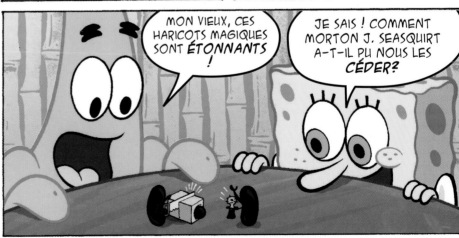

MON VIEUX, CES HARICOTS MAGIQUES SONT *ÉTONNANTS* !

JE SAIS ! COMMENT MORTON J. SEASQUIRT A-T-IL PU NOUS LES *CÉDER*?

SHOPPING

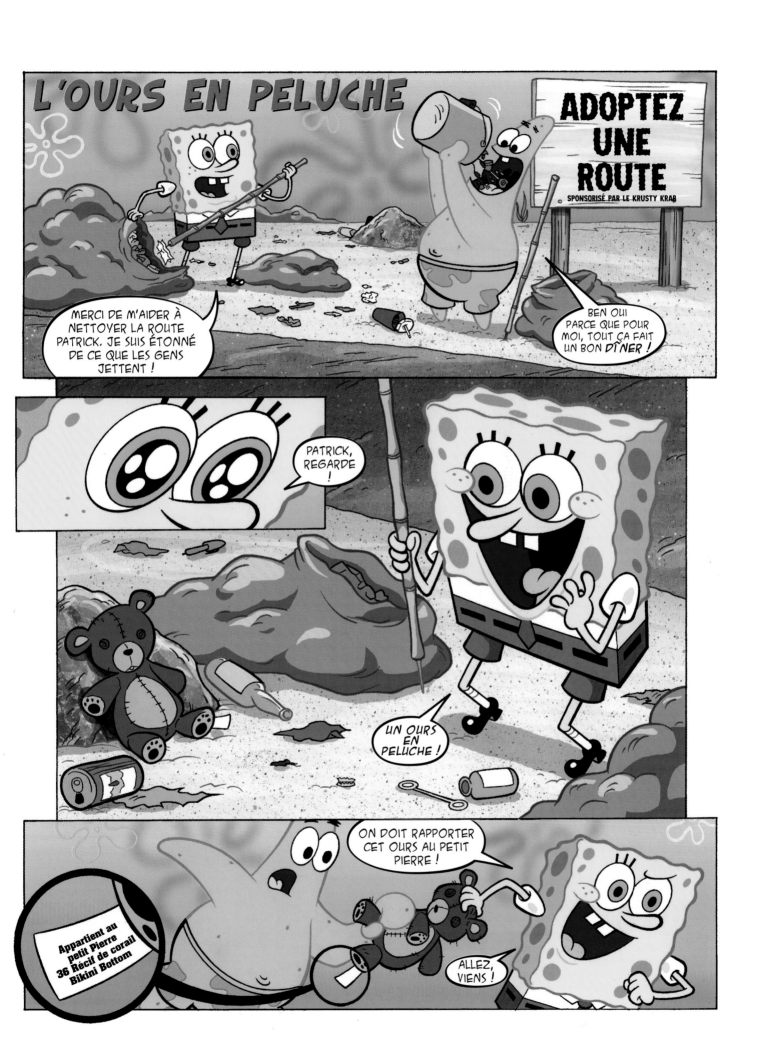

16

DISPARU

18

LE COURANT D'AIR

L'APPEL DE LA MÉDUSE

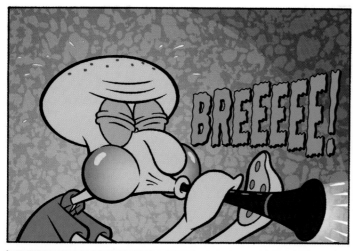

BREEEEE!

BREEEEEE

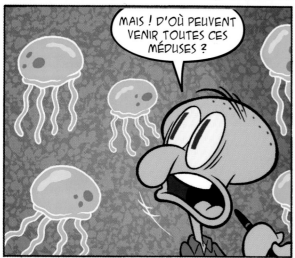

BREEEEEEEE!

BREEEEEEEE!

MAIS ! D'OÙ PEUVENT VENIR TOUTES CES MÉDUSES ?

LAISSEZ-MOI ! AÏE !

ZAP

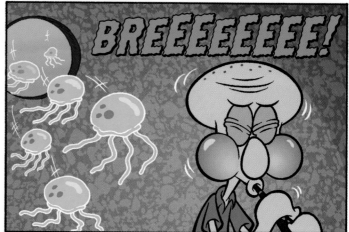

OUILLE !

À L'AIDE !

REGARDE ! C'EST CARLO !

ÇA ALORS ? IL A DÉCIDÉ D'ALLER À LA PÊCHE AUX MÉDUSES FINALE-MENT !

À L'AIDE ! DÉBARRASSEZ-MOI DE CES MÉDUSES !

FIN

HOURRA ! MON CHÂTEAU DE SABLE EST FORMIDABLE !

CHÂTEAUX DE SABLE

JE SUIS SÛR QUE MÊME LE ROI NEPTUNE AIMERAIT VIVRE DANS CE CHÂTEAU !

UN ROI ? UN CHÂTEAU ?!

SPLAT

SALUT, PLANKTON.

SALUT, BOB L'ÉPONGE. JE PEUX VOIR TON CHÂTEAU ?

HEU... OK... BIEN SÛR...

C'EST SPLENDIDE !

C'EST JUSTE L'ENTRÉE.

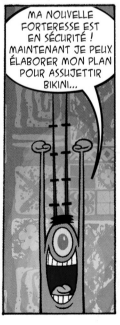

Retrouve Bob l'Eponge dans :

· les BD

· les BD Format poche

· les histoires

· les coloriages

· les jeux et les autocollants

· les Anime Comics

· j'apprends en m'amusant